OBJETOS

1. O que tem braços e pernas, mas não tem cabeça?
2. O que é que de manhã é enchido e à noite, esvaziado?
3. De qual brinquedo o Batman gosta mais no parque de diversões?
4. O que tem dentes, mas não pode comer?
5. Qual a boca que se enche de comida, mas não come?
6. O que se faz para viver, mas só se usa na morte?
7. Por que o sabão não gosta de dar opinião nos assuntos dos outros?
8. **Qual o banco mais desconfortável?**

RESPOSTAS: 1. A poltrona. 2. O sapato. 3. Do carrinho "bat-bat". 4. O pente. 5. A boca do forno. 6. O caixão funerário. 7. Porque ele é neutro. 8. O banco dos réus.

OBJETOS

9. Qual a chave que, mesmo sendo fabricada no Brasil, tem nome de estrangeira?

10. O que é que ao nível do chão é calma, mas no alto treme o tempo todo?

11. Como poderia ser definida a invenção de um relógio?

12. O que trabalha bastante e descansa em pé?

13. Quando a chuva cai, o que ela levanta?

14. O que tem cabeça e não pensa?

RESPOSTAS: 9. A chave inglesa. 10. A bandeira. 11. Uma invenção que veio na hora certa. 12. A vassoura. 13. O guarda-chuva. 14. Palito de fósforo.

OBJETOS

15. O que é redonda como um biscoito, mas rasa como um prato, e nem todos os rios do mundo poderiam enchê-la, de fato?

16. O que tem bico e não tem cabeça; tem asa e não tem penas; tem boca e não tem dentes?

17. O que, quanto mais limpa, mais sujo fica?

18. O que quando é amarrado, anda, e, quando é desamarrado, para?

19. O que a gente põe todo dia na boca, mas nunca come?

20. Quando uma rua pequena vai à mesa?

21. **O que não é de comer, mas dá água na boca?**

RESPOSTAS: 15. A peneira. 16. O bule. 17. O pano de chão. 18. O sapato. 19. O garfo. 20. Quando vira travessa. 21. O copo.

OBJETOS

22. O que gosta de vento, voa no espaço, mas não tem asas, e tem em cauda, mas não tem patas?

23. Quantos lados tem um círculo?

24. O que é arredondado como uma pêra, fundo como balde e só "fala" se puxarem sua cauda?

25. O que é pequena como um camundongo, porém guarda a casa como um leão?

26. O que tem quatro dedos e mais o polegar, mas não tem carne e osso?

27. Qual a orelha em que não se pode colocar cotonete?

RESPOSTAS: 22. Uma pipa. 23. Dois, o lado de dentro e o lado de fora. 24. O sino. 25. A chave. 26. A luva. 27. A orelha do livro.

OBJETOS

28. Que pé é instrumento de trabalho?

29. O que quando está trabalhando, está com o chapéu no pé, e quando está descansando, está com o chapéu na cabeça?

30. O que anda, mas não marcha; diz certas coisas, mas não fala?

31. O que aconteceria se houvesse uma chuva de relógios?

32. Qual é o único chá capaz de refrescar a cabeça?

RESPOSTAS: 28. O pé de cabra. 29. A caneta com tampa. 30. O relógio. 31. Seria uma chuva "da hora". 32. O chá-péu.

OBJETOS

33. O que tem olhos, mas não vê; tem ouvidos, mas não escuta; tem um nariz que é incapaz de cheirar, e de sua boca não sai uma palavra?

34. O que mostra uma cara diferente para cada pessoa, mas não tem rosto?

35. O que tem cara, mas não tem corpo; não tem pés, mas corre veloz?

36. Quem sempre anda com um nó na garganta?

37. O que significa encontrar uma ferradura?

38. Qual o rio que toma mais banho?

RESPOSTAS: 33. O retrato de uma pessoa. 34. O espelho. 35. A moeda. 36. A gravata. 37. Significa que algum cavalo está descalço. 38. O que tem maior bacia.

OBJETOS

39. O que, estando embaixo, queremos que suba; e estando em cima, queremos que desça?

40. Por que os lápis não gostam de escrever na mão de pessoas grosseiras?

41. O que vive de mão em mão levando palmadas, e ainda faz disso esporte?

42. Qual a planta têxtil que sempre dá alguma coisa?

43. O que só tem buracos, mas retém água?

44. Quem sente o calor humano?

RESPOSTAS: 39. O elevador. 40. Ficam desapontados. 41. A peteca. 42. O algodão (= algo dão). 43. A esponja. 44. O termômetro.

OBJETOS

45. O que ao cair, às vezes, continua andando e, às vezes, para?

46. O que não ouve, não fala e não vê, mas sempre diz a verdade?

47. O que, a cada ano, nasce grande, logo fica pendurado e, depois, morre fininho e logo é descartado?

48. O que é necessário para fechar uma porta?

49. O que nasce grande e morre pequena?

50. O que tem centenas de rodas, mas não sai do lugar?

51. Por que o prego tem dores de cabeça?

52. Quem tem boca, mas não fala?

RESPOSTAS: 45. O relógio. 46. O espelho. 47. O calendário. 48. É necessário que ela esteja aberta. 49. A vela. 50. O estacionamento. 51. Porque vive levando martelada na cabeça. 52. O fogão.

OBJETOS

53. Quem são os três irmãos diferentes que não comem nem bebem, mas dão de comer a quem tem fome?

54. Qual tecla do teclado do computador é a preferida do astronauta?

55. O que o casaco tem que uma árvore também tem?

56. O que se pega pelo corpo, se escuta pela cara e se fala pelo pé?

57. O que ainda fica sujo quando alguém acaba de tomar banho?

58. O que tem mania de assustar os que estão à sua frente?

59. O que tem uma porção de dentes, mas não tem boca?

RESPOSTAS: 53. Colher, garfo e faca. 54. Espaço. 55. Manga. 56. O telefone. 57. A banheira. 58. A buzina. 59. O serrote.

OBJETOS

60. O que com dois funciona, mas com um só não serve?

61. O que vem sempre para casa pelo buraco da fechadura?

62. Como se chama a casa da ovelha?

63. O que cozinha o dia inteiro no restaurante?

64. O que não tem pernas, mas sempre anda?

65. O que está na orquestra e no automóvel?

66. Em que lugar o café não é atingido pela geada?

67. O que vive correndo riscos?

RESPOSTAS: 60. Gangorra. 61. A chave. 62. Lan house. 63. O fogão. 64. O sapato. 65. A bateria. 66. Na xícara. 67. A linha.

OBJETOS

68. Por que o lápis começou a treinar na academia?

69. O que serve para conduzir água, mas, no feminino, produz açúcar?

70. Qual veículo foi tetracampeão?

71. O que se usa da cabeça aos pés e, quanto mais trabalha, menor fica?

72. O que quanto mais seca, mais molhada fica?

73. O que tem língua, mas não pode falar?

RESPOSTAS: 68. Para ser "grafitiness". 69. Cano e cana. 70. O quadriciclo. 71. Sabonete. 72. A toalha. 73. O tênis.

OBJETOS

74. O que uma impressora disse para a outra?

75. Qual o carro mais azedo que existe?

76. O que diz muito sem ter boca e chega bem longe sem ter pés?

77. Quais peças automobilísticas são fabricadas no Egito?

78. **Um homem dentro de um carro vê três portas: uma de ouro, outra de prata e outra de bronze. Qual porta ele deve abrir primeiro?**

79. O que mais muda com o tempo?

80. O que é às vezes ouve, mas não fala, e às vezes fala, mas não ouve?

RESPOSTAS: 74. Essa folha é sua ou é impressão minha? 75. A limão-sine. 76. O e-mail. 77. Os "faraóis". 78. A porta do carro. 79. Os ponteiros do relógio. 80. O telefone.

OBJETOS

81. O que compramos para tirar a comida da nossa boca?

82. O que o Batman usa para preparar um bolo?

83. O que é meu, mas meus amigos usam mais que eu?

84. O que não é cinto, mas segura as calças?

85. O que amarra, mas não enxerga?

86. Qual o lado certo da asa da xícara?

87. Quando um cofrinho deve fazer exercícios?

RESPOSTAS: 81. O palito de dente. 82. Uma "bat-deira". 83. A campainha. 84. O suspensório. 85. O nó-cego. 86. O lado de fora. 87. Quando ele quiser se tornar um cofre-forte.

OBJETOS

88. O que tem uma boca e só um dente, chama a atenção de muita gente?

89. O que quanto mais enrugado, mais novo é?

90. O que, quando entra em casa, fica fora dela?

91. O que tem orelha, mas não pode ouvir?

92. Qual o mar que mais bate?

93. Qual a entrada da saída?

94. **O que faz ficar de cabelo em pé?**

RESPOSTAS: 88. O sino. 89. O pneu. 90. O botão de uma roupa. 91. O livro. 92. O martelo. 93. A porta. 94. O pente.

OBJETOS

95. O que quanto mais a gente tira, mais a gente tem?

96. O que falta para a cobra estar na penteadeira?

97. Como é que se aponta um lápis de cor?

98. Qual a ferramenta que já se foi?

99. O que mais pesa no mundo?

100. Qual o dente que nenhum dentista consegue obturar?

RESPOSTAS: 95. Fotos. 96. Ser pente. 97. Com o dedo indicador. 98. Foice. 99. A balança. 100. O dente do pente.